やがて、 おとうさんが
びょうきで しんで
しまいました。
「おれたちは ろばと
こなひきごやを もらおう。」
二人(ふたり)の おにいさんは、 おとうと
には パン(ぱん) 一(ひと)つと ねこ 一(いっ)ぴきを
わたしただけで おいだして しま
いました。

おとうとは、　かわいがって
いた　ねこと　いっしょに
さまよいあるきました。
「おなかが　すいた。」
おとうとは、　一(ひと)つの　パン(ぱん)を
ねこと　わけあって　たべました。
「これから　どうしよう。」
すると、　ねこが　こたえました。
「わたしに　まかせて　ください。」

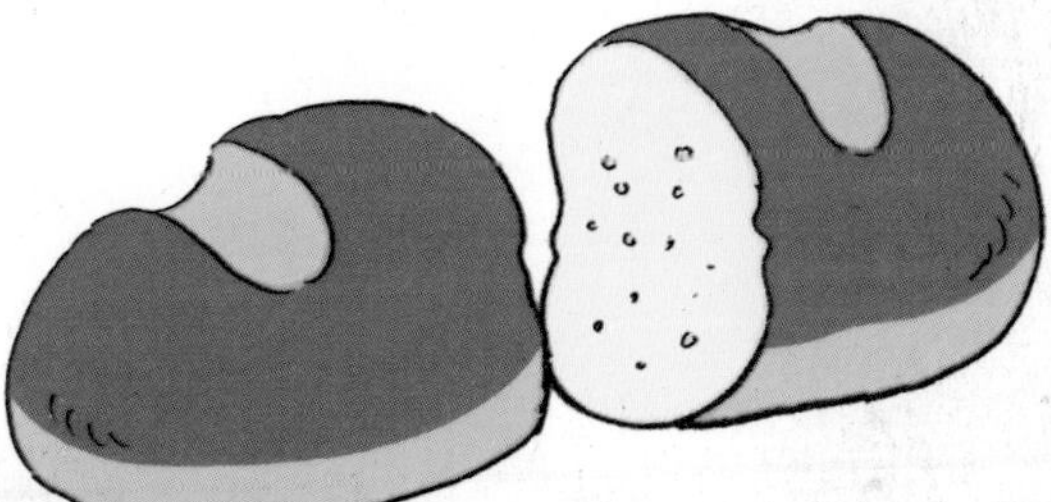

おとうとは
びっくりしました。
「わたしに
長ぐつと　ふくろを　かして
ください。あなたに　いままでの
おんがえしを　したいのです。」
ねこが　ねっしんに　たのむので
おとうとは　はいていた　長ぐつと
ふくろを　手わたしました。

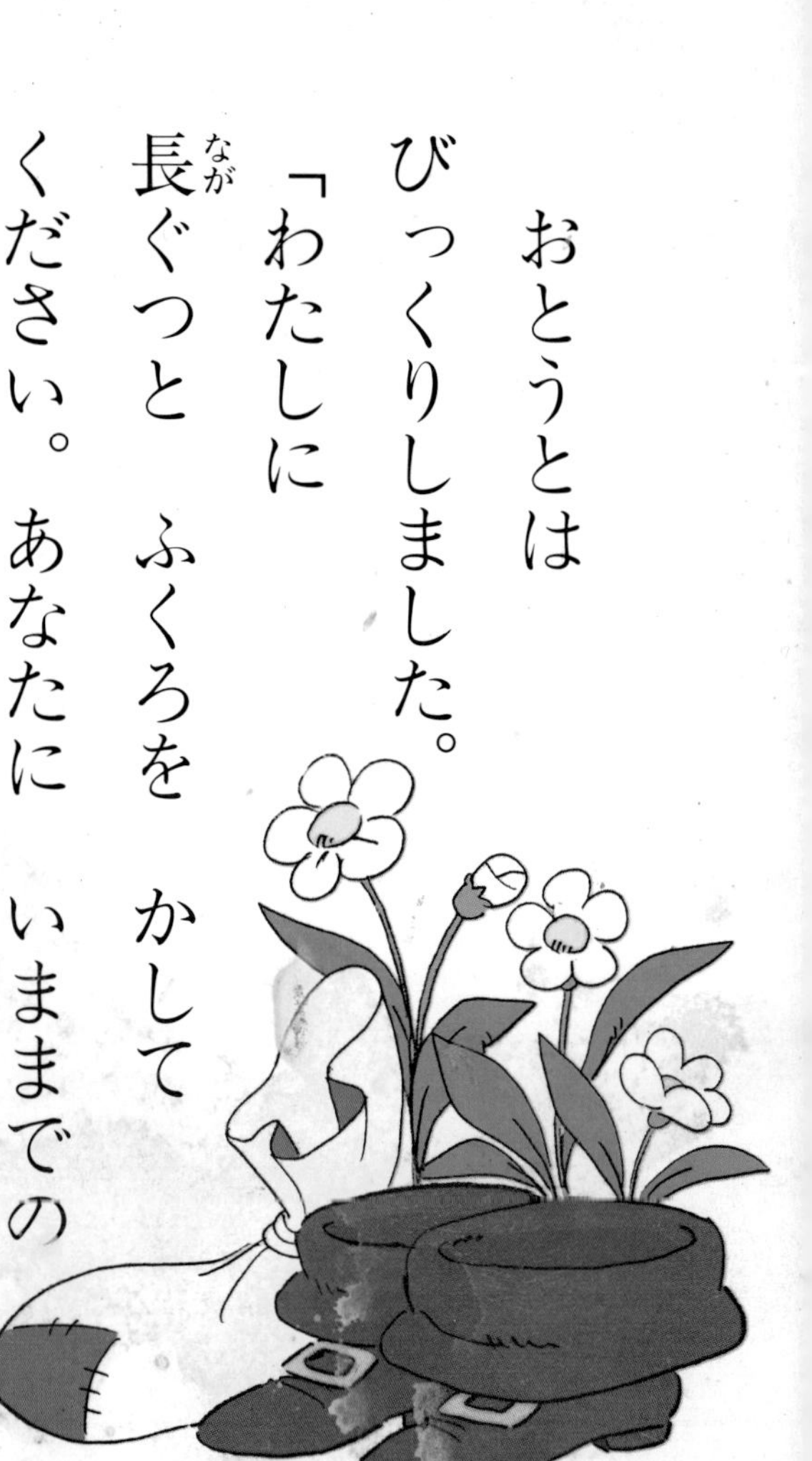

ねこは、もりに
でかけ、うさぎを
つかまえると　ふくろに
つめました。
そして　長ぐつを　はいて、
さっそうと　おしろを　たずねました。
「王さま、しゅじんの　カラバこう
しゃくから　おくりものです。」
と　うさぎを　さしだしました。

ねこは、　こんどは
うずらを　つかまえて
おしろへ　いきました。
「王さま、カラバこうしゃくからの
おくりものです。」
王さまは　よろこびました。
「わたしが、とても　かんしゃして
いると　つたえて　おくれ。」
王さまは　ごほうびを　くれました。

ある日(ひ)、ねこは
おとうとに　川(かわ)で
水(みず)あびを　させました。
そこへ、王(おう)さまの　馬車(ばしゃ)が
とおりかかったのです。
「たすけてー。カラバ(からば)こうしゃくが
おぼれている。」
ねこが　さけんだので　王(おう)さまの
けらいが　たすけて　くれました。

おとうとの
ふくは　いわかげに
かくして　あります。
「しゅじんの　ふくが　水あびの
あいだに　ぬすまれました。」
ねこが　いうと、王さまは　おしろ
から　すぐに　ふくを　とりよせて
おとうとに　きせて　あげました。
王女さまが　みとれて　います。

「わたしの　馬車で
あなたの　おしろまで
おおくりしましょう。」
王さまが　いいました。
ねこは、しんぱいそうな
おとうとを　はげまして、馬車に
のせました。そして、じぶんだけ
さきまわりをして、人くい大王の
はたけに　いそぎました。

ねこは、人くい大王が　おそろしい　まほうを　つかって、おひゃくしょうさんたちを　くるしめて　いるのを　しっていました。
そこで　こむぎばたけや　ぼくじょうの　おひゃくしょうさんたちを　あつめて　こんな　話を　しました。

「わたしの　いう
とおりに　すれば、
人くい大王を
たいじ　できます。
馬車に　のった　王さまに
たずねられたら、この　あたりは
すべて　カラバこうしゃくの　もの
だと　いうだけで　いいんです。」
ねこは　しんけんに　話します。

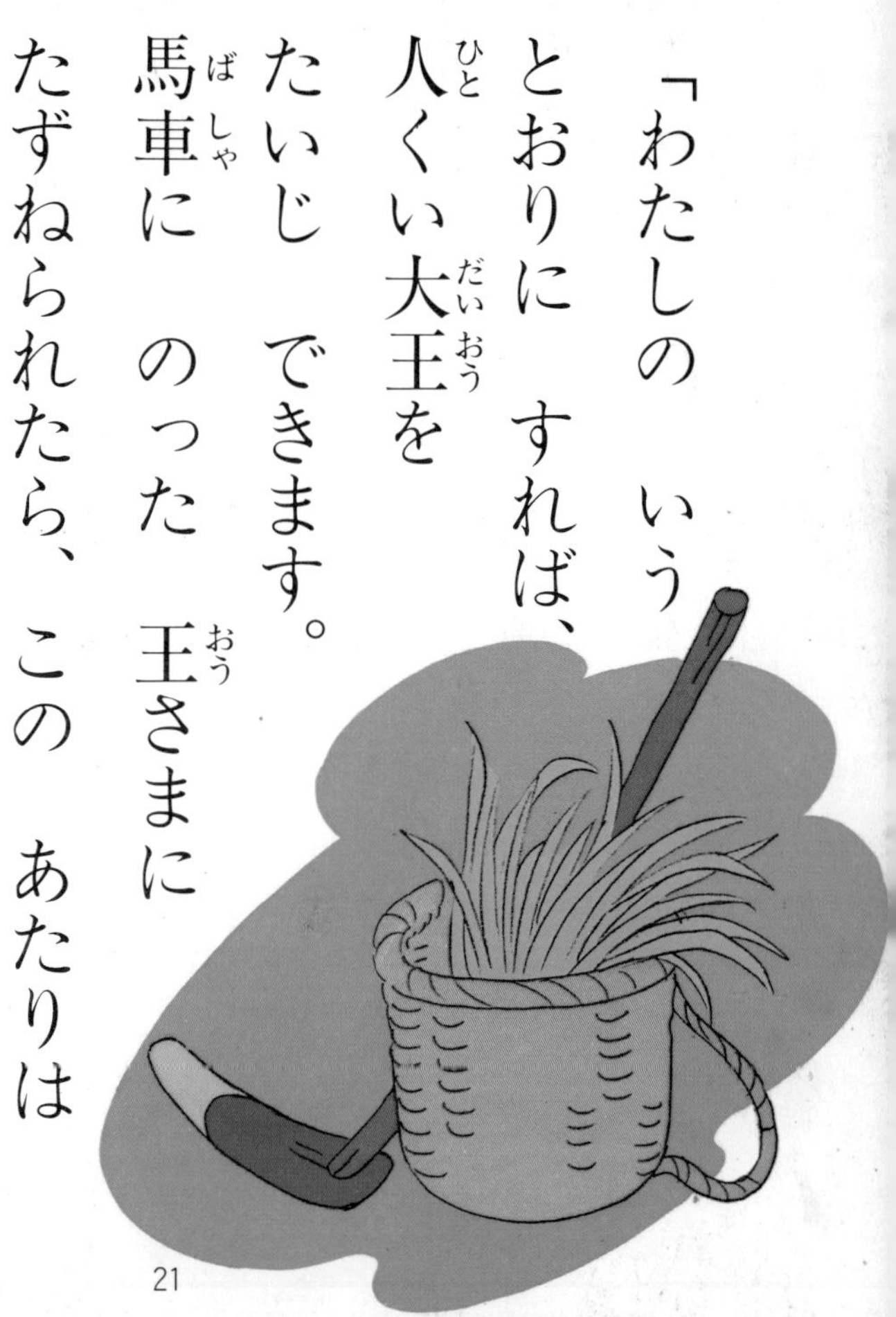

人くい大王に
いじめられて　いた
おひゃくしょうさんたちは、
たいへん　よろこびました。
「かならず、カラバこうしゃく
の　ものだと　こたえます。」
と　やくそくして　くれました。
そこで　ねこは、いよいよ　人く
い大王の　おしろへ　むかいました。

あとから　きた　王さまは、

「このあたりの　こむぎばたけは、だれの　ものか？」

と　たずねました。おひゃくしょうさんたちは　こたえます。

「カラバこうしゃくさまの　ものでございます。」

「これは　おどろいた。わしの　はたけよりも　ひろいではないか。」

ぼくじょうに　つくと
また　王さまは
たずねました。
「この　ぼくじょうは　だれの
ものか？」
おひゃくしょうさんたちは、声を
そろえて　いいました。
「カラバこうしゃくさまのです」。
「ここも　わしのより　ひろい」。

いっぽう、人くい大王の
おしろに ついた ねこは、
おくへ すすんで いきました。
大王は ごちそうを たべて
いる ところです。

「大王さま、わたしの しゅじんが
あとから おくりものを もって
きますので、わたしが さきに
おつたえに まいりました。」

「ところで、
大王さまは
どんな　ものにでも
ばけられる　そうですが、
ライオンには　なれますか？」
「そんなのは　かんたんだ。」
どろろん、ぱっ。
「ガオーッ。」
大きな　ライオンが　あらわれました。

「ああ、こわい。
でも、いくら 大王さまでも、ちいさな
ねずみには ばけられないでしょ。」
大王は おこりだしました。
「おれにできない ことなど ある
ものか。」
と いうと、あっと いう まに
ねずみに なってみせました。

「しめた！」
ねこは、大王が
ばけた　ねずみに
とびかかると、
ぱくりと　たべて　しまいました。
「大王を　やっつけたぞ。」
そのとき、王さまの　馬車が
おしろに　つきました。ねこは
王さまたちを　おでむかえしました。

「王さま、カラバ
こうしゃくの
おしろへ　ようこそ
いらっしゃいました。」
王さまは　おしろの　大きさに
おどろいて　います。
ねこは、三人を　人くい大王の
ごちそうの　テーブルに　あんない
しました。

ただ　ひとり、
カラバこうしゃく
だけは、なにが
なんだか　わかりません。
「いったい　どうなって
いるんだろう？」
「わけは　あとで　話します。
とにかく、あなたは　きょうから
カラバこうしゃくさまです。」

王さまは、カラバこうしゃくを　すばらしい　人だと　おもいました。

「カラバこうしゃく、王女を　あなたの　おきさきに　してもらえませんか。」

「王さま、よろこんで。」

こうしゃくは　うれしそうに　王女さまの　手を　とりました。

やがて、カラバこうしゃく
と　王女さまの　けっこん
しきが　あげられました。
人びとは　おそろしい
人くい大王の　かわりに
やさしい　カラバこうしゃくが
王さまに　なったので　おおよろこ
びで　しゅくふくしました。
「ばんざあい。おしあわせに！」

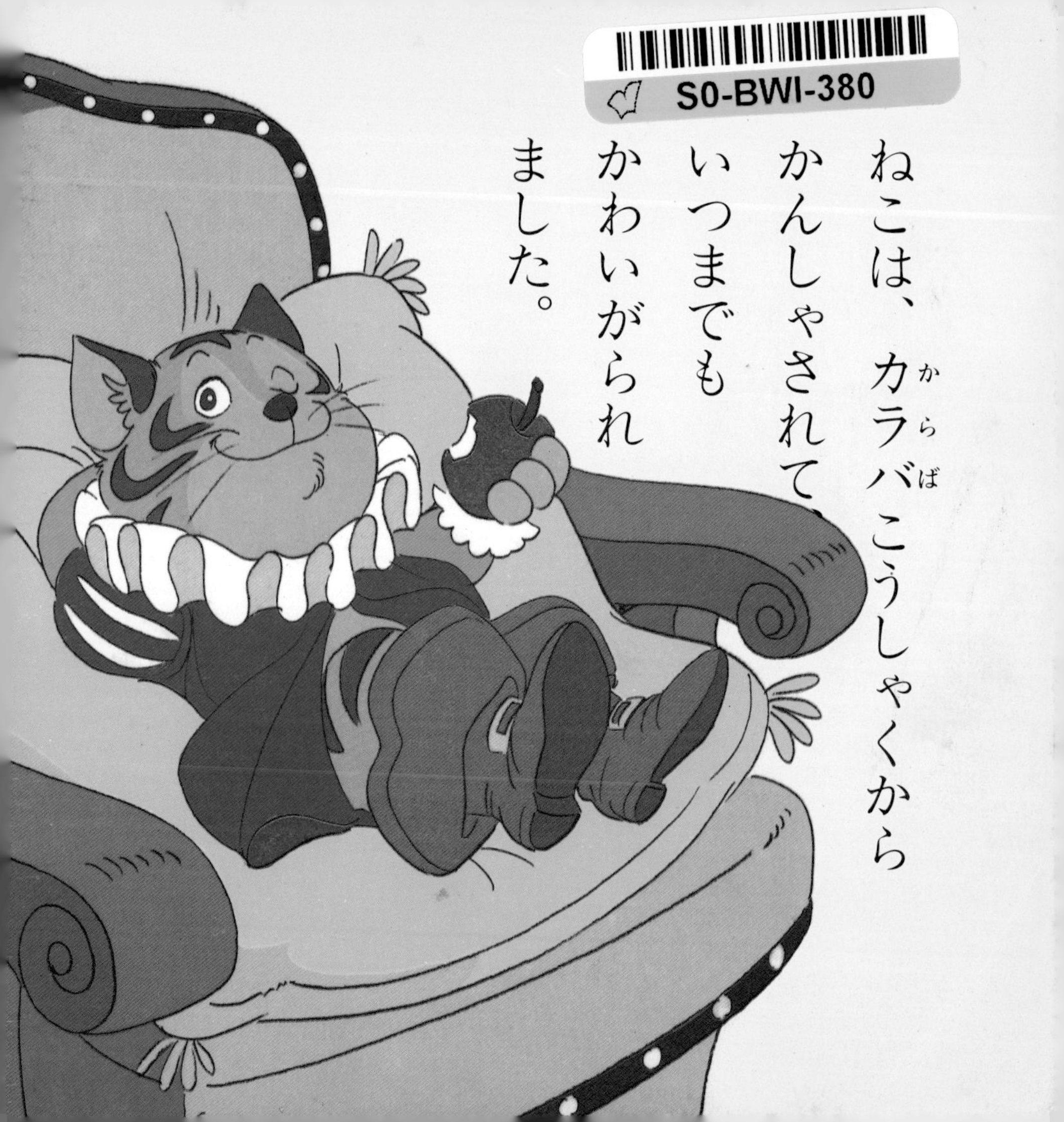

ねこは、カラバこうしゃくから
かんしゃされて、
いつまでも
かわいがられ
ました。

S0-BWI-380